Zéro mon grelot !

collection
sous la di
Yvon

ction de
Brochu

Zéro mon grelot !

Lucie Bergeron

Illustrations
Dominique Jolin

Données de catalogage avant publication (Canada)

Bergeron, Lucie, 1960-

Zéro mon grelot !

(Collection Libellule)

Pour les jeunes de 8 à 12 ans.

ISBN 2-89512-084-6

I. Jolin, Dominique, 1964   II. Titre.   III. Collection.

PS8553.E678Z32 1999   jC843'.54   C99-940287-0
PS9553.E678Z32 1999
PZ23.B47Ze 1999

Sous la direction de Yvon Brochu, R-D création enr.
Illustrations : Dominique Jolin
Révision-correction : Christine Deschênes
Mise en page : Philippe Barey

© Les éditions Héritage inc. 1999
Tous droits réservés
Dépôts légaux : 3e trimestre 1999
Bibliothèque nationale du Québec
Bibliothèque nationale du Canada
ISBN 2-89512-084-6
Imprimé au Canada

10 9 8 7 6 5 4 3 2

Dominique et compagnie
Une division des éditions Héritage inc.
300, rue Arran, Saint-Lambert (Québec) J4R 1K5
Téléphone : (514) 875-0327
Télécopieur : (450) 672-5448
Courriel : info@editionsheritage.com

Nous remercions le Conseil des Arts du Canada de l'aide accordée à notre programme de publication, ainsi que la SODEC et le ministère du Patrimoine canadien.

À Natalia.

Chapitre 1

La folie de Torchon

– Wouou… wouf!

L'arbre de Noël s'allume.

– Wouf!

L'arbre de Noël s'éteint. Pour la douzième fois… Ça m'éneeerve!

Hier, mon grand frère Antoine a installé un nouveau gadget. Quand on frappe dans nos mains, l'arbre s'allume ou s'éteint. Évidemment, mon chien Torchon a vite compris qu'il pouvait obtenir le même résultat en aboyant. Et il en profite.

– Torchon, arrête un peu! Si tu

continues, je ne te donnerai pas mon morceau de dinde cette nuit. Ton réveillon, tu vas le passer devant un bol de croquettes de morue.

Il gémit, puis se couche, le nez sous sa couverture argentée.

– Il faut que tu te calmes, mon gros. Fais tinter tes grelots et laisse l'arbre tranquille.

Mon Torchon, je l'ai reçu en cadeau une nuit de réveillon. Depuis, le temps des fêtes le rend complètement dingue. On dirait que l'odeur de la gomme de sapin lui brouille la cervelle. Dès qu'on entre l'arbre dans la maison, Torchon veut porter son collier de grelots ! Ce chien-là, il se prend pour un renne du père Noël.

– Ah non ! Tu exagères.

Devant moi, Torchon fait le beau. Il tient dans sa gueule un livre en forme de bas de Noël.

– Je te l'ai lu il y a une demi-heure.

Il dépose sa tête sur mes cuisses en me regardant avec d'immenses yeux tristes.

– D'accord… Grimpe sur le canapé à côté de moi.

Je commence la lecture :

– Il était une fois un petit oiseau orphelin qui grelottait de froid sur sa clôture. La fée des glaces, qui passait par là…

Les oreilles dressées, Torchon m'écoute. Il raffole des contes de Noël. Je suis sûr que c'est un lutin à tête de chien. S'il pouvait s'endormir, je serais débarrassé de la prochaine corvée. Je prends donc tout mon temps pour lire l'histoire. Mon chien finit par fermer les yeux, ses oreilles retombent mollement. Ma ruse a réussi. Ouf…

– WOUF !

Le sapin s'allume. D'un bond, Torchon saute sur le plancher. Il me tape sur les nerfs ! Il est en train de devenir plus rusé que moi. Je crie :

– Cette fois, c'est non !

Torchon fait la sourde oreille. Il continue à agiter sa tête d'un côté et de l'autre. Gling-gling-gling-gling, jouent les grelots de son collier.

– Tu es vraiment une calamité, toi, le 24 décembre !

– Gling-gling, gling-gling, me répond-il.

Le doigt pointé vers lui, je lui dis :

– Je t'avertis, mon gros grelot. C'est la dernière fois aujourd'hui.

Je fais claquer mes doigts avec rythme tandis que Torchon bouge la tête en cadence. Les grelots accompagnent sa bonne humeur. Je me mets à chanter :

Petit papa Noël
quand tu descendras du ciel
avec des jouets par milliers
n'oublie pas mon petit souououou… lier.

C'est le signal ! Ventre à terre, Torchon se

précipite derrière le fauteuil vert, passe dessous, saute par-dessus le pouf, dérape, freine et vient appuyer sa gueule baveuse sur mes genoux. Entre ses crocs, il tient une vieille pantoufle grise toute déglinguée.

– Tu es certainement le plus bébé des bébés, mon gros grelot de Torchon. Le père Noël ne va pas l'oublier, ton p'tit soulier.

Mon chien court déposer son affreuse pantoufle sous le sapin. Il aboie de bonheur. Et le sapin se remet à clignoter à toute vitesse ! Au secours… Si je ne l'arrête pas tout de suite, la ronde sapin-histoire-chanson va continuer jusqu'à minuit. Il faut que je trouve un truc. Je m'exclame :

– Torchon, écoute !

Attentif, il dresse son oreille droite.

– J'entends des clochettes… C'est le traîneau du père Noël ! Vite, il le stationne dans la cour.

Torchon galope vers la porte. Je l'ouvre. Il se faufile. Je bondis sur le perron, agrippe sa chaîne et l'attache. Je retourne aussi sec dans la maison. Enfin débarrassé ! Brrr… j'ai les doigts gelés. J'ai à peine le temps de me frotter les mains que déjà mon chien se met à hurler. Torchon est très naïf, mais il a du flair pour découvrir mes mensonges. J'allume la radio. Une chorale chante *Vive le vent !* Si je monte le son, on ne devrait plus entendre les lamentations de mon gros bêta de grelot.

Je vais retrouver mon père à la cuisine. Il inscrit des colonnes de chiffres dans un grand livre.

– Papa ? Veux-tu jouer au Monopoly ?

Aucune réponse.

– À un jeu vidéo, alors ? Je promets de te laisser gagner à la course de traîneaux.

Il ne bronche pas.

– PAPA !

– Hein ? Quoi ? fait-il en sursautant. Qu'est-ce qui se passe, Martin ?

– Je m'ennuie… Veux-tu venir patiner au parc avec moi ?

– Tu sais bien que la glace de l'étang est trop mince. De toute façon, j'ai du travail.

Je m'assois lourdement sur une chaise. Je soupire jusqu'à ce que mon père finisse par me proposer un marché.

– Tu me laisses travailler, sans me déranger. En échange, je t'amène en fin d'après-midi à la grande partie de quilles du réveillon. Il y a une promotion au salon de quilles : chaque abat te donne droit à un billet pour le tirage d'une nuit dans un igloo. Je t'offre ceux que je gagne.

– Wow ! Marché conclu !

Je lui saute au cou. Au même moment, le téléphone sonne. Papa décroche. Peut-être que c'est mon grand frère Antoine. J'aimerais bien aller l'aider à la station-service.

– C'est monsieur Thibodeau, dit papa en raccrochant. Torchon l'empêche de dormir. Comme il travaille cette nuit à l'hôpital…

D'une voix hésitante, je lui demande :

– Est-ce que je peux laisser Torchon dans la maison pendant les quilles ?

Mon père me regarde, les sourcils en l'air. Dans ses yeux, je vois défiler toutes sortes d'images : Torchon qui grignote les moutons de la crèche, qui ronge le pied du sapin de Noël, qui dévore les guirlandes et qui vomit sur le canapé neuf. Comme j'ai un bon esprit de déduction, je découvre facilement la réponse à ma question. Papa prend la peine de préciser :

– Si tu veux qu'on sorte, il faut que tu fasses garder ton chien. C'est ta responsabilité.

Le téléphone sonne de nouveau. Encore monsieur Thibodeau. Il paraît que Torchon hurle plus fort qu'une flotte d'ambulances. L'infirmier pense qu'il est gelé… Pourquoi, mais pourquoi donc, ai-je un chien douillet comme ça ?

Il pourrait être un peu moins cloche pendant le temps des fêtes, lui ! me dis-je en laçant rageusement mes bottes rouges. Je ne veux pas rater ma sortie avec papa, moi. Un ami, c'est fait pour aider, pas pour mettre des bâtons dans les roues ! J'enroule mon long foulard rouge, je peste contre ce grelot de Torchon. Je sais, il déteste se faire garder. Surtout la veille de Noël ! J'enfile mes mitaines rouges. Monsieur Torchon veut sa petite chanson. Monsieur Torchon veut sa petite histoire. Monsieur Torchon veut un cadeau dans sa pantoufle dégoûtante. Et monsieur Torchon ne pense jamais à son maître, qui désire seulement deux petites heures avec son père.

Eh bien, il l'aura voulu ! Je déclenche une nouvelle opération secrète. Cette fois, Torchon ne sera pas mon assistant. Il ne connaîtra même pas le secret. Car, dans cette mission, l'ennemi, c'est lui.

– ZÉRO MON GRELOT ! que je lance en enfonçant ma tuque rouge sur ma tête.

Chapitre 2

Une famille de monstres

Torchon cesse de hurler dès qu'il aperçoit le bout de mon nez. Il est incapable de rester seul une seconde, le gros grelot. Tant pis pour lui ! Je vais lui en trouver du monde pour se désennuyer. Je le détache pour lui mettre sa laisse. Tout heureux, il balaie la neige avec sa queue pendant que son collier de grelots bat la mesure. Torchon est certain que je l'amène au dépanneur pour admirer l'énorme père Noël musical. Il se trompe.

À grandes enjambées, je remonte la rue jusqu'au bout. Je bifurque à droite. Je dépasse cinq maisons avant d'emprunter une allée qui me conduit à une longue galerie. Je frappe à la porte, mais je n'obtiens aucune réponse. Je tourne la poignée : la porte s'ouvre.

J'entre. À peine ai-je mis les pieds sur le tapis qu'on me bouscule. Un ballon me frôle la tête. Ma tuque tombe. Six petites mains s'abattent sur Torchon. Sa laisse est jetée dans un coin. Un monstre en bottines surgit. Un autre à deux dents m'agrippe par le foulard. Le premier délace ma botte gauche tandis que le second arrache des bouts de laine.

Ensemble, ils défont mon lacet droit. Puis ils détalent à quatre pattes, la couche aux fesses. Torchon est emporté dans la tourmente, poussé par les uns, tiré par les autres.

Zéro mon grelot ! Chez ma tante Marie-Manon, c'est toujours bourré de monde. Difficile de faire autrement avec sept enfants ! Torchon ne peut pas s'ennuyer ici. Je parie qu'il ne se rendra même pas compte de mon absence.

– YAAAAAAAAA !

Qui a crié? C'est le monstre à bottines!
Il pédale comme un déchaîné sur son
tracteur en plastique. Il me fonce dessus!
Je l'évite de justesse, mais je perds l'équilibre et tombe assis sur une chaise.
Aussitôt, on dépose devant moi deux biscuits au chocolat et un verre de lait. Un
agent secret chevronné doit avoir d'excel-
lents réflexes. Je réponds donc :

– Merci, ma tante.

Ronde comme une toupie, Marie-
Manon se penche lentement pour me
dévisager. Elle s'exclame :

– Mais c'est Martin! Es-tu là depuis
longtemps, mon neveu chéri?

Je lui marmonne que non, la bouche
pleine.

– Tu es venu t'amuser avec tes cousins
et tes cousines?

Je continue à mâcher bruyamment. Un
bon agent ne doit jamais dévoiler le but
de son opération secrète.

– As-tu hâte de voir la frimousse de mes jumeaux ? me demande-t-elle en caressant son gros ventre.

– Oh oui, ma tante ! J'ai encore plus hâte que d'avoir mes cadeaux de Noël !

Le sourire jusqu'aux oreilles, elle s'éloigne de son pas de canard. À vrai dire, moi, je trouve que ses bébés ressemblent à de vieilles aubergines ratatinées. Mais quand on est en mission, on a le droit d'utiliser ruses, astuces et mensonges. On a toutes les excuses. C'est écrit dans mon manuel d'agent secret.

Je m'empresse de finir mon verre de lait avant que le monstre à deux dents me le chipe. J'essaie de me lever, mais le duo monstrueux me retient par les lacets de mes bottes. C'est à ce moment que j'aperçois mon chien. Il rampe pour se libérer d'une pyramide de cousins et de cousines entassés sur son dos. Hein ?… Ils ont emballé MON Torchon dans du papier de Noël ! Il a des choux roses partout, vingt mètres de ruban doré autour de la queue et un ridicule nez rouge en pâte à modeler. Ils ont osé faire ça. Bande de tordus !

D'un coup sec, je me dégage de mes monstres à quatre pattes, me précipite vers Torchon, l'attrape par ses grelots pour l'entraîner illico vers la sortie. La maison de Marie-Manon est une zone dangereuse, un terrain contaminé, un piège infernal. C'est encore plus terrible que d'être coincé, le 26 décembre, dans un troupeau d'adultes qui se ruent vers les aubaines d'après Noël.

Chapitre 3

De la dynamite en paquets

Arrivé sur le trottoir, je débarrasse Torchon de son emballage-cadeau. Je ne pouvais tout de même pas laisser mon chien entre les vilaines mains de ces bourreaux d'animaux. J'ai une importante mission à accomplir, mais pas au prix de sacrifier mon fidèle ex-assistant. Il me reste suffisamment de temps pour trouver un gardien à Torchon. D'autant plus que mes oncles et mes tantes habitent presque tous dans le quartier. Une chance inouïe pour un agent secret… Zéro mon grelot ! Je ne vais pas me décourager de si tôt.

Confiant, je repars en chasse. Torchon

me colle aux talons comme un aimant. Avant même que j'aie fait cent pas, un automobiliste me klaxonne. C'est tante Charlotte ! Elle baisse sa vitre pour me dire :

– Tu tombes à pic, mon petit oignon vert. J'ai besoin de toi. Hé ! ta tuque est à l'envers ! Viens m'aider à entrer les provisions. Suis-moi.

Elle se dirige vers son stationnement sans remarquer mon grand sourire. Un grand sourire d'agent fier de son coup. C'est étonnant comme les adultes peuvent se jeter dans la gueule du loup facilement. Charlotte n'a pas saisi que, si j'entre chez elle, Torchon aussi. Et que, si je lui rends un service, elle m'en devra un en échange. Naïvement, ma tante vient de me fournir une arme infaillible. Hourra pour les adultes ! Ce sont les meilleures poires pour un agent secret.

Je vais rejoindre ma tante. Torchon se dandine. Il salive déjà à la vue des dizaines de paquets qui encombrent le coffre de l'auto. Je crois qu'il va bien s'entendre avec Charlotte. Il me devance pour aller appuyer ses grosses pattes sur le pare-chocs arrière. Il plonge sa tête dans les provisions. Subitement, il la retire.

– Tchou ! fait-il.

– Ton chien a-t-il pris froid ? Il éternue.

Je m'empresse de répondre :

– Non, non, c'est… euh… c'est un tic chez lui. Je ne sais pas pourquoi, mais quand il aime quelqu'un, il éternue.

– Ah bon !

Pour gober une histoire pareille, il faut vraiment que ma tante soit préoccupée par ses provisions. Je jette un regard noir à Torchon. Si Charlotte croit qu'il est malade, elle ne voudra jamais le garder.

– Martin, je te confie ces paquets. Prends-en le plus grand soin.

Elle me remet une pile de sacs en papier

brun solidement ficelés. Elle prend le reste des provisions et nous grimpons jusqu'à son appartement, au troisième étage. Avant d'entrer, elle me fait admirer sa décoration sur la porte. Ouache ! Ma tante a fabriqué une couronne de Noël avec des échalotes. Elle les a tressées et recouvertes de neige artificielle... Quand je pense que maman disait l'autre jour que la passion de sa sœur avait diminué depuis l'été !

À l'intérieur de l'appartement, ce n'est plus une passion, c'est une folie. Tout est peint en vert et blanc. Et ça sent fort l'échalote. Mon nez pique. Je relève mon foulard rouge pour me protéger. Torchon aussi se gratte le museau. Nous déposons nos paquets près du réfrigérateur. Je n'en reviens pas ! Il y a des dessins d'échalotes partout. Sur les serviettes, les rideaux, les barreaux de chaise, les murs du salon. Les étagères de la cuisine débordent de bocaux d'échalotes en marinade.

Derrière moi, tante Charlotte pousse un soupir d'admiration. Je me retourne. Elle a ouvert les paquets. Sur le plancher sont alignées des montagnes d'échalotes. Elle m'explique :

– Pendant le congé des fêtes, on ne trouve pas de tout dans les épiceries. Imagine un peu si ce délicieux légume venait à manquer… Oh ! Je préfère ne pas y penser. J'ai tellement hâte d'essayer mes nouvelles recettes aux échalotes.

Je soupire à mon tour. Pourvu que le souper de Noël ne soit pas chez elle… J'esquisse mon célèbre sourire d'ange et je lui annonce :

– Ma tante, j'ai une surprise pour toi.

Je n'ai pas oublié que Charlotte me doit un service. Mais je préfère mettre plus de chances de mon côté. Un agent secret d'expérience se garde toujours des munitions en réserve.

– J'ai une chanson toute spéciale pour ton cadeau.

– Comme tu es attentionné, mon petit

oignon vert! s'exclame-t-elle, charmée. Mais recule-toi d'abord.

Je m'éloigne de trois pas. Pauvre Charlotte... Je comprends qu'elle ait un peu peur de moi. La dernière fois que je lui ai récité une comptine, j'en ai profité pour lui jouer un mauvais tour. J'empestais tellement l'ail qu'elle a failli s'évanouir. Elle s'en souvient, c'est sûr.

– Maintenant, baisse ton foulard que j'entende bien.

– Non, je le garde. Il fait partie du décor.

Si ma tante déteste l'ail, moi, j'endure à peine ses échalotes. Torchon semble avoir le même problème : il se frotte le nez depuis notre arrivée.

Je me redresse et, sur l'air préféré de mon gros grelot, j'entonne :

Échalote de Noël
quand tu descendras du ciel
avec des oignons plein tes bottes

n'oublie pas ma tante Charlotte.
Mais avant de partir
il faut bien te le dire
dehors un beau gros chien a froid
ce n'est pas à cause de moi.
Il me tarde tant que le jour se lè...

– TCHCHCHOUOUOU !!!

Nooonnn ! Torchon a éternué. Un vrai raz-de-marée ! Il a craché de la bave dans tous les coins. Une bave épaisse. Aïe, aïe, aïe ! Il a inondé les précieuses petites choses vertes de tante Charlotte. Beurk...

Ma tante tombe à genoux devant ses échalotes. Elle pleure presque. Ma mission est fichue. Charlotte était peut-être une bonne poire d'adulte mais Torchon, lui, est un gros cornichon. Un gros grelot de cornichon !

J'enfouis mes mains dans mes mitaines rouges. Ça ne sert à rien de rester ici. Mon chien a bien réussi son coup. Je vois la flamme de la ruse briller dans ses yeux noir asphalte. Le vaurien ! Il mériterait que je le nourrisse de croquettes aux échalotes pendant deux mois.

Chapitre 4

Kilos en gros

Lentement, je descends les marches qui me conduisent au rez-de-chaussée. Un agent secret intelligent sait mettre de l'ordre dans ses idées tout en restant en action. Il sait aussi reconnaître ses erreurs. Ma mission, je l'ai déclenchée sur un coup de tête : je n'ai pas pris le temps de réfléchir que je m'attaquais au meilleur des assistants d'agent secret. Torchon me connaît par cœur, il me devine ! Il a été le compagnon de toutes mes opérations délicates. Zéro mon grelot ! Il a compris que je lui jouais dans le dos. Je dois donc redoubler de prudence, multiplier les fausses pistes. Sinon, je peux dire adieu à ma partie de quilles avec papa.

Je sors enfin. Malgré la neige, je me glisse facilement sous un balcon de l'immeuble voisin. Torchon me suit en mordillant mes bottes rouges. Je m'arrête devant une étroite fenêtre du sous-sol.

– Approche, Torchon !

Mon chien appuie sa truffe humide sur la vitre. Je prends une voix enjouée pour lui demander :

– As-tu vu le beau terrain de jeux ? Regarde tous les obstacles, les barres de métal pour sauter, les manettes à tirer, les bancs à déchiqueter. As-tu envie d'y aller, mon beau Torchon ? As-tu le goût ?

J'en rajoute jusqu'à ce qu'il me lèche le visage d'enthousiasme. Sans attendre, je me précipite vers la porte principale et appuie sur un bouton. Quelques instants plus tard, une voix basse m'interpelle par l'interphone :

– Qui est là ?

Je colle ma bouche contre la grille. Mon père m'a expliqué qu'il fallait parler bien fort dans le micro pour qu'on m'entende dans l'appartement.

– Oncle ROCH ? C'est MAR-TIN.

– Uuuu… une minute, je viens t'ouvrir.

Je me mets à courir sur place. J'ai réussi à attraper Torchon, maintenant je dois amadouer Roch, surnommé les gros bras. Le frère de papa n'a pas de petite amie, ni d'enfant, mais il a des muscles ! Dans son salon, pas de canapé, pas de télé. Le plancher est entièrement occupé par ses appareils de musculation. Haltères de dix, vingt, cent kilos. Il les a tous. Des barres pour les jambes, d'autres pour les orteils. Des câbles pour les biceps ou les pouces ou les fesses. On se croirait presque au temps des chevaliers, dans la chambre des tortures. Et Torchon qui prend ça pour un terrain de jeux ! On voit tout de suite que le cerveau des missions secrètes, c'est moi.

Par la porte vitrée, j'aperçois mon oncle en camisole qui grimpe les marches deux par deux. Il m'ouvre.

– Entre, mon champion ! Je te dis qu'on t'entend dans l'interphone, toi. Tu as de puissantes cordes vocales.

En sautant sur place, je lui réponds :

– C'est parce que je m'entraîne. Je n'arrête pas. Tes exercices sont extrêmement efficaces. Bientôt, mes bras seront aussi musclés que les tiens.

Roch regarde mes gros biceps. Il est surpris. Heureusement que j'ai glissé mes mitaines dans les manches de mon blouson pour que mes bras aient l'air plus épais. Il est tellement fier de moi qu'il me donne un gros bec sonore près de l'oreille. Je déteste. Mais lui, il ignore que Torchon vient de me laver les joues avec sa langue baveuse. À chacun sa revanche !

– Mon oncle, tu me montres tes haltères ? Il me reste un cadeau à demander et...

– Tu as sonné à la bonne porte ! J'étais justement en train de les compter. J'ai une pile de disques au moins haute comme toi. En passant, ta tuque est à l'envers. Par ici, mon homme fort !

Nous descendons chez lui. Je jette un coup d'œil à Torchon. Zéro mon grelot ! Il frétille d'impatience. Je suis convaincu qu'il va passer l'après-midi à chercher le carré de sable dans l'appartement. Roch n'a pas le temps de mettre la main sur la poignée que Torchon fonce déjà droit devant. Il pousse la porte restée entrouverte et bondit vers l'intérieur. Il saute par-dessus une barre d'exercice, galope sur un banc, atterrit sur le trampoline, rebondit deux fois, perd l'équilibre, roule sur le plancher et termine brutalement sa glissade contre un appareil de torture. Bang ! Ébranlée, une pile de disques en métal dégringole. C'est l'avalanche ! Deux kilos, trois, cinq, ils tombent tous. Comme une pluie de gigantesques grêlons. Après un BADABOUM! étourdissant, le calme revient. Torchon a figé sur place. Les disques le tiennent prisonnier. Il est encerclé.

Je m'élance. Mon cœur cogne jusqu'à me défoncer les côtes. Je m'accroupis devant Torchon. Est-il blessé? Non! Il me

saute dans les bras. Je le serre contre moi. Mon oncle s'approche et prend la tête de Torchon dans ses mains.

– Mon pauvre, pauvre petit, répète-t-il en caressant son front.

Il lisse ses oreilles, le gratte sous le menton. Il lui offre même une galette de riz. Apaisé, Torchon lui lèche la main. Il paraît rassuré. Roch serait un gardien idéal, c'est évident. J'ai envie de tenter ma chance. Quoique… après un choc pareil, Torchon doit surtout s'attendre à ce que je le cajole. Va-t-il m'en vouloir si je le laisse à un étranger ?

Bah ! Qu'est-ce qui me prouve qu'il n'a pas fait exprès ? Qu'il ne me joue pas la comédie pour que je le prenne en pitié ? À le voir dévorer sa galette, je me dis qu'il a beaucoup d'appétit pour un rescapé. Aurait-il tout manigancé ? Zéro mon grelot ! J'ose.

Je m'étire le cou pour murmurer à l'oreille de mon oncle :

– Accepterais-tu de garder mon chien ?

– Quoi ? GARDER Torchon ICI ?

– Chuuuttt ! Moins fort !

Trop tard… Comme si on l'avait piqué avec une aiguille, Torchon se lève d'un bond. Il file vers la porte et disparaît dans le couloir. Je l'entends même gémir. Une longue plainte douloureuse qui briserait le cœur d'un général endurci. Et voilà ! Monsieur Torchon fait son numéro de victime. Quel comédien !

Chapitre 5

Le roi de la pâtisserie

L'après-midi avance à pas de géant. Moi aussi. J'ai hâte de venir à bout de cette mission. Depuis que nous avons quitté oncle Roch, Torchon trottine d'un pas léger. Envolée, sa grosse peur ! Ses grelots tintent allègrement sous la neige qui commence à tomber. Il essaie même d'attraper les flocons qui virevoltent. En l'observant, je me demande si Torchon n'a pas plutôt réussi à m'attraper, moi. Tout paraissait si facile au début. Je lui trouvais une maison, puis je repartais tranquille m'amuser avec papa. À la place, je sillonne les rues en sa compagnie. Moi qui voulais me débarrasser de Torchon, je me retrouve enchaîné à lui.

Arrivé à une intersection, je repère l'appartement de mon oncle Yves-Yvan. C'est facile, il est le seul avec une citrouille d'Halloween dans la fenêtre. Yves-Yvan est un éternel retardataire. Je regarde plusieurs fois de tous les côtés avant de traverser la rue. Aujourd'hui, les autos sont folles. Elles filent comme des bolides de course. Elles ne prennent même pas le temps de faire les arrêts. On dirait qu'elles pensent arriver à minuit avant les autres et recevoir encore plus tôt leurs cadeaux. Complètement fou !

Je sonne chez mon oncle. Il m'accueille à bras ouverts. Zéro mon grelot ! Je m'imagine déjà en train de réussir quatre abats en file. À moi la nuit dans un igloo !

– Enlève tes bottes, mon grand. Je vais te préparer un chocolat chaud. Tes joues sont aussi rouges que ta tuque. D'ailleurs, elle est à l'envers.

En me penchant pour me déchausser, je préviens discrètement Torchon.

– Tu ne t'excites pas, tu ne cours pas, tu ne sautes pas. Fais-moi honneur !

Mon chien se met à grignoter les morceaux de glace entre ses orteils. Il a trouvé de quoi s'occuper. Quand on lui donne des ordres clairs, il comprend vite. Sur le comptoir de la cuisine, des casseroles sales sont empilées pêle-mêle. Des dizaines de petites cuillères à mesurer traînent un peu partout. Des bocaux sont ouverts, un livre de recettes trône sur la table. Mon oncle déclare :

– Tu arrives au bon moment, mon neveu. Je me suis lancé un défi, et toi, tu seras le témoin de ma réussite. Admire le travail !

D'une armoire, il sort un gâteau. Une vraie merveille ! Ses trois étages sont décorés par des roses jaunes et soutenus par des colonnes.

– Le plus difficile, explique-t-il en déposant son chef-d'œuvre sur la table, a été de faire tenir les gâteaux en équilibre. Pour les colonnes, j'ai dû préparer des biscuits très spéciaux. Tu ne devineras jamais ! On les appelle des langues de chat.

Ça ? Des langues de chat ? C'est beaucoup trop long. Elles seraient plutôt de la taille de celle de mon chien. Je crois que les pâtissiers ne connaissent pas grand-chose aux animaux. Mais mon oncle, lui, s'y connaît en construction. On a envie de croquer dans son gâteau, étage par étage.

– Oncle Yves-Yvan, tu es le roi des gâteaux, l'as des as. Au souper de Noël, je vais dire à toute la famille que tu es un génie de la pâtisserie. Plus génial encore que les grands cuisiniers qui nous ennuient le matin à la télé.

Il se redresse, fier comme un paon. Pour un agent secret de mon calibre, mettre l'autre en confiance est une ruse élémentaire. Ces quelques compliments bien placés vont sans aucun doute aider ma cause.

– Martin, tu es un neveu en or. Approche, nous allons préparer ton chocolat chaud.

Il se retourne vers les armoires pour chercher ce dont il a besoin. Je l'aide en grimpant me dénicher une tasse. Il verse le lait, puis me confie :

– Entre hommes, on peut se parler, hein, mon Martin ? Le gâteau, je l'ai préparé pour mon amoureuse. Je m'y suis pris d'avance. Ce sera ma surprise du réveillon. Sylvette croit sûrement que je vais acheter une bûche de Noël congelée au supermarché. Elle va tomber à la renvers...

C'est alors que j'entends un discret « gling-gling ! » de grelots. Juste dans mon dos. NON ! Torchon ne peut pas avoir fait cette bêtise. S'il vous plaît ! Je n'ose pas regarder. Mais mon oncle s'est déjà retourné. Je vois son visage blêmir d'un seul coup. Le pot de chocolat lui glisse des mains et explose sur le plancher.

Mon précieux manuel répète qu'un agent secret doit être courageux, même dans les pires situations. Je suis donc obligé de m'exécuter. Je tourne la tête... Oh! le cauchemar! Les moustaches pleines de glace à gâteau, Torchon croque dans les langues de chat. Il mastique, lèche, rote. Le dernier étage bascule et s'aplatit sur la table. Plofff! Sonné, Yves-Yvan reste immobile, les pieds couverts de poudre chocolatée.

Ah! le fripon! Moi qui croyais que Torchon avait enfin compris la leçon. Mais non, il avançait vers la table à pas d'espion. Encore une fois, il a réussi son coup. Je lance d'une voix ferme :

– Torchon, descends! À la porte, vieux cloporte!

Une rose en crème jaune sur le nez, il se dirige d'un air piteux vers la sortie. J'essaie de remettre les gâteaux les uns sur les autres. Mais je n'y arrive pas. Torchon a une grande gueule : il a laissé sa trace à tous les étages.

Furieux, je me rhabille. Yves-Yvan n'a toujours pas bougé d'un cil. Mon fameux manuel n'explique pas comment ranimer les statues. J'espère au moins que mon oncle n'a pas subi de dommages permanents au cerveau.

Arrivé dehors, j'explose :

– Vilaine fripouille ! Andouille ! Désastre ambulant ! Gros grelot de gourmand à quatre pattes ! Tu n'es rien qu'un paquet d'ennuis.

Torchon garde les yeux baissés, le museau dans la neige fraîche. J'en rajoute :

– Je te demandais seulement un petit effort. Une minuscule faveur pour contenter ton maître. J'ai envie de sortir avec papa ! Depuis le temps que je prends soin de toi, tu pourrais me faire un cadeau de Noël. Sale égoïste !

Je m'éloigne à grandes enjambées. Torchon me rattrape aussitôt, en quête de caresses. Je ne m'en occupe pas. Si je veux réussir ma mission, je ne dois pas me laisser attendrir. J'ai vu l'heure chez Yves-Yvan et il est tard. Au bout de la rue, je sonne à la porte d'une autre maison. Je frappe, je sautille dans l'espoir d'apercevoir quelqu'un par les fenêtres. Mais rien ne bouge. Mes grands-parents sont absents. Exaspéré, je lance à Torchon :

– Tu vois, eux, ils peuvent sortir quand ils veulent. Ils sont libres. Ils n'ont pas peur qu'une tornade pleine de poils transforme leur couronne de Noël en confettis !

Mon chien regarde ailleurs, l'air innocent. Bon, du calme... Un agent secret doit savoir contrôler ses émotions. D'autant plus que ça n'avance en rien ma mission. Où vais-je aller maintenant ? J'ai fait le tour de ma famille dans le quartier. Même Biz-Biz n'est pas disponible. Elle est en vacances sur la Côte-Nord. Ma petite cousine est tellement folle de moi qu'elle aurait accepté d'héberger mon gros bêta de grelot. Ouais... Sauf qu'elle passe son temps à jouer à la Barbie. J'en aurais eu pour des heures à défriser Torchon, à arracher le vernis à ongles sur ses griffes ou à défaire les tresses dans sa queue. Quelle horreur !

La neige se met à tomber à gros flocons. Je m'abrite sous le petit toit du perron pour réfléchir. J'ai beau tourner le problème dans tous les sens, je reviens constamment à la même conclusion. Il ne me reste qu'une solution. Et elle s'appelle tante Claudinette. Claudinette, la spécialiste des becs à pincettes ! La seule de la famille à habiter dans un autre quartier. À croire que personne ne veut être son voisin...

Torchon sait très bien que je l'évite le plus possible. Elle et ses cadeaux abominables, je les fuis comme la peste. Mon chien ne doit pas deviner que je me rends chez elle de mon plein gré. Si je le convaincs que ma visite est une corvée, il va me suivre et rester docile. Il ne pourra pas imaginer un seul instant que j'ai l'intention de le laisser là. Ha ha! Mon Martin, tu es le plus futé des agents secrets de cette planète!

Mais avant d'aller plus loin, je dois avertir papa. Heureusement, j'ai ma pièce de vingt-cinq sous d'urgence. Je pars à la recherche d'une cabine téléphonique. J'en trouve une près d'un casse-croûte. Torchon s'engouffre dans la cabine avec moi. Parfait!

Le téléphone sonne trois fois avant que papa décroche.

– Allô, je te dérange?

– Martin? J'avais hâte d'avoir de tes nouvelles.

– As-tu fini ton travail?

– Non, pas encore.

Ouf... Tout n'est pas perdu. J'articule clairement:

– Papa, est-ce que je peux aller chez tante Clau-di-net-te ?

Je précise en élevant la voix :

– Maman a beaucoup, beaucoup insisté pour que j'aille lui rendre visite.

– Je suis d'accord. Mais n'oublie pas notre partie de quilles.

– Bien sûr que non !

Je raccroche. Torchon s'est couché sur mes pieds et a fermé les yeux. Ma conversation l'a totalement rassuré. Zéro mon grelot ! J'ai réussi à l'emberlificoter. Il n'a pas le moindre petit soupçon. Ha ha ! Le piège vient de se refermer sur lui.

Chapitre 6

Opération charme

Du bas d'une côte, je finis par apercevoir la demeure de Claudinette. Mes mitaines rouges sont trempées, j'ai faim, mais je ne ralentis pas la cadence. Je grimpe, encouragé par la victoire qui m'attend.

Là-haut, je sursaute, je me protège les yeux avec ma main. Je suis ébloui. Ébloui par des milliers de lumières de Noël! Des jaunes à gauche, des rouges autour des fenêtres, des bleues pour les portes, des vertes le long de l'allée, des mauves sur le côté à droite, des blanches qui tombent du toit en cascades. On dirait que mille pots de gouache ont éclaboussé la maison. Pour aller sonner, je dois contourner une armée de bonshommes de neige en plastique. Ils montent la garde derrière un monstrueux père Noël dont la barbe clignote à toute vitesse. Torchon ne résiste pas à l'envie de les saluer. Je crois que mon chien aurait besoin de lunettes, car il les prend pour des bornes-fontaines. Bof! Quelques touches de jaune sur la neige mettront encore plus de gaieté!

Torchon me rejoint devant la porte et j'essuie ses pattes mouillées avec mon foulard rouge. Ma tante n'apprécie pas qu'on salisse son plancher. Un agent secret doit tout prévoir. Il doit aussi tout endurer. Même le dernier des abominables cadeaux de sa tante… Je pousse un long soupir, puis j'enlève ma tuque. Résigné, je la retourne à l'endroit. Je regarde autour de moi pour m'assurer que personne ne me voit et je la remets. Je me sens ridi-cuuuuule. C'est pour les bébés en poussette, ça! Qui d'autre voudrait porter une tuque avec des oreilles de chat pointues ? Une tuque sur laquelle est écrit en lettres dorées *Beau bonhomme* ? ? ? Le pire des supplices… Torchon me dévisage. Il n'a plus aucun doute. Il est persuadé qu'on m'a forcé à subir cette torture. Zéro mon grelot ! Mon chien ne soupçonne pas jusqu'à quel point un agent secret obstiné peut marcher sur son orgueil.

Je sonne à la porte. « Joyeux Noël et bonne année ! », glapit le bouton de sonnette d'une voix métallique. Puis j'entends claquer les hauts talons de Claudinette qui accourt pour ouvrir. Le manteau sur le dos, elle s'exclame :

– Quelle belle surprise ! Mon beau Martin avec mon superbonnet rouge ! Qu'est-ce qu'on dit à sa tante chérie pour son cadeau ?

Ma mâchoire se coince, mes dents grincent, ma langue se tortille avant que je réussisse à articuler un faible… merci. Claudinette ajoute :

– Je venais tout juste d'allumer dehors. Je peux encore attendre, mais je sortais installer un jeu de lumières orangées. Ne trouves-tu pas qu'il en manque autour de la boîte aux lettres ?

Je lui réponds avec mon sourire d'ange :

– C'est toi qui le sais, ma tante. Tu as du goût pour dix.

– Si jeune et déjà si flatteur ! Mon charmant Martin, tu es mon préféré.

Dans ses yeux, je vois s'allumer une petite étincelle. Ah non ! je devrai réellement tout endurer pour réussir cette mission ! Ma tante étire ses longs bras, approche ses mains pleines de bagues de mes joues et me gratifie d'un bec à pincettes. Hein ? Je n'ai même pas eu mal. Je tâte où elle a pincé. Je comprends : mes joues sont gelées. Fameux truc ! Il faudra que je l'ajoute dans mon manuel d'agent secret.

Claudinette se penche pour complimenter Torchon à son tour.

– C'est à qui, le beau chien-chien ? Est-ce qu'il donne la patte, le gentil Torchon si bien élevé ?

Sans hésiter, il s'exécute. Wow ! Fantastique ! Se pourrait-il que Torchon ait finalement décidé de coopérer ?

– Allons dans la salle de séjour. Nous enlèverons nos manteaux et je mettrai ton disque favori, mon p'tit chou.

Pitié ! Depuis que je suis au monde, ma tante me casse les oreilles avec *Les schtroumpfs chantent Noël*. J'ai les tympans défoncés à force d'entendre leurs voix de corneilles enrhumées. Ma seule consolation est que Torchon me suit docilement. Mes efforts vont enfin être récompensés.

Le couloir embaume le sapin frais. De la salle de séjour provient une douce lumière multicolore. J'entre. Incroyable ! Cette fois, ma tante s'est surpassée. L'arbre de Noël occupe les trois quarts de la pièce. Il faut presque longer les murs pour éviter les branches qui ploient sous des kilos de décorations. Guirlandes scintillantes, boules en forme de cristaux de neige, rennes en verre coloré. Je n'ai jamais vu un sapin aussi impressionnant.

Je ne suis pas le seul à être sous le choc. Les yeux écarquillés, Torchon fixe l'arbre, la langue pendante.

– Wouf! fait-il d'une voix émue.

– Torchon, tais-toi!

Il ne va pas venir tout gâcher en aboyant, celui-là.

– Wouf! Wouf! Wouf! répète-t-il de plus en plus fort.

Mais qu'est-ce qui lui prend?

– Torchon, assez!

Il me jette un regard désespéré, puis recommence. Oh non! je viens de comprendre: il pense que l'arbre va s'éteindre et s'allumer comme à la maison. Le gros bêta de grelot!

– WOUF !

Torchon trépigne, il s'impatiente. On dirait qu'il va bondir. Ma tante fronce les sourcils, les lèvres pincées. Zéro mon grelot ! Je dois l'arrêter. Je m'élance et l'attrape par son collier. Il secoue la tête. Je perds ma prise, mais repars à l'assaut. Il me repousse. Je recule. Torchon attrape mon manteau par la manche. Je tire. Il relâche. Je tombe sur les fesses. Non, il ne me gâchera pas ma dernière chance. À l'attaque ! Comme un ressort, je saute et l'emprisonne dans mes bras. Torchon se débat, jappe encore. Je resserre mon étreinte. Il finit par cesser de gigoter, il se calme. Hourra ! Le danger public est neutralisé. Et il n'a rien brisé. Il s'agit simplement que j'explique à ma tante ce qui l'a...

– MARTIN !

Le bras tendu, Claudinette laisse tomber mon foulard rouge à mes pieds.

Elle crie, droite comme une baguette de
métal :

– Ton foulard a atterri dans mon sapin.
Il a fait dégringoler deux boules et un
renne. Regarde !

Il ne reste sur le plancher que trois petits tas d'éclats multicolores. La bouche tordue par la colère, elle ordonne :

– Prends ton chien et retourne chez toi, petit mal élevé !

– Mais tante Claudinette…

– Ouste ! beugle-t-elle.

Elle passe devant nous. Torchon se met à grogner. Je n'ai jamais vu ma tante dans un état pareil. Ses hauts talons frappent le bois verni comme des massues. Elle a vraiment l'air méchante. Je ramasse mes mitaines et mon foulard. Je me dirige vers la porte.

Pendant que j'enfile mes bottes, la sorcière continue de me gronder :

– Je vais en parler à ta mère. Venir te battre dans ma maison une veille de Noël. Tu n'es qu'un…

Mais Torchon refuse d'écouter la suite et il se remet à japper. Sans s'arrêter. Il se déchaîne, le regard braqué sur la méchante. On dirait qu'il ne veut plus que j'entende ce qu'elle me dit. Comme s'il voulait me protéger… Je me retrouve à l'extérieur. Torchon sort à reculons en multipliant les wouf ! Dehors, il refait une tournée des bonshommes de neige en plastique. Et il prend le temps de bien les arroser.

Chapitre 7

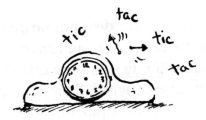

Ma tante Bonbon

J'en ai plein le dos ! Je marche depuis si longtemps que mes chaussettes sont toutes ratatinées au fond de mes bottes. J'ai la gorge sèche, l'estomac vide, les pieds gelés et JE M'EN VEUX. Moi, l'agent secret émérite, le chef de mission, le maître de Torchon, j'ai tout fait rater. C'est ma faute si la furie de Claudinette nous a chassés. Satané foulard ! Bien sûr, si Torchon était resté calme, je n'aurais pas été obligé d'intervenir. Il est totalement imprévisible, ce chien. Adieu, la partie de quilles ! Je vais retourner à la maison raconter vingt-deux fois le conte du petit oiseau et chanter Petit papa Nono au son des grelots. Jusqu'à minuit…

Les jambes lourdes comme du plomb, je continue d'avancer. Je longe le parc de mon quartier. Je suis déçu que la glace ne soit pas assez épaisse. J'aurais pu au moins amener Torchon patiner avec moi. Du bout de la rue, je reconnais tante Victorine. À vrai dire, c'est la tante de maman, ma grand-tante. Elle habite près de l'étang des patineurs. Par la fenêtre de sa chambre, elle peut voir les gens s'amuser. Ça doit la désennuyer. En ce moment, elle est en train de pelleter. Disons plutôt qu'elle pousse très lentement la neige de l'allée avec sa pelle. L'été dernier, Victorine a été malade. Elle a vieilli d'un seul coup. Elle a rapetissé aussi. Son dos est courbé. Je l'observe et je me dis qu'elle n'est pas chanceuse. J'espère que je ne deviendrai pas vieux trop vite.

Ma tante se repose, la main appuyée sur sa pelle. Elle regarde dans ma direction, puis m'envoie la main. Victorine se déplace à pas de souris, mais elle a gardé une vue perçante. Je m'approche.

– Bonjour, Martin! Avec tes vêtements rouges, j'avais l'impression de voir venir un sucre d'orge.

J'essaie de lui sourire.

– Ooooh… tu as une petite mine, toi. Pourtant, la veille de Noël, ce devrait être une journée magique pour les enfants.

– Pas magique du tout, que je marmonne en regardant par terre.

– Tu sembles en avoir gros sur le cœur, mon garçon. Tu es trempé jusqu'aux os. Viens à la maison. J'ai un énorme sac de pastilles à la menthe des bois qui nous attend. Tu m'accompagnes?

Je hausse les épaules. Pourquoi pas? Plus rien ne me presse. Nous montons les trois marches du perron et je dépose la pelle près de la porte. Fatigué, Torchon va immédiatement se coucher sur le tapis.

– Tu laisses ton chien dehors ? s'étonne ma tante.

– Oui, c'est préférable.

Nous entrons. J'enlève mes vêtements

mouillés et nous allons nous asseoir au salon. Victorine s'installe dans sa chaise berçante. Je me cale dans un fauteuil. Elle se berce. Moi, j'attends les pastilles. Nous ne parlons pas. Pendant de très longues

tic tac
tic
tac
tic

minutes, nous ne disons rien. Je me demande même si ma tante n'a pas découvert le truc pour dormir les yeux ouverts.

C'est tellement, incroyablement, silencieux ici. Pas un craquement de pas, pas un grincement de porte, pas un éclat de voix. On n'entend que l'horloge de la cuisine qui grignote les secondes. Comment ma tante fait-elle donc pour habiter dans ce silence ? Un silence cent fois plus dérangeant que le bruit de dix souffleuses en pleine action.

N'y tenant plus, je lance d'un trait :

— Torchon refuse de se faire garder. Un vrai pot de colle ! Il doit apprendre à moins compter sur moi. Je ne serai pas toujours là !

Victorine m'offre une pastille. La menthe me réchauffe la gorge. Mioummm… Il faudrait bien que j'appelle papa. Mais j'ajoute :

— Avec ses bêtises, Torchon s'est mis la

famille entière à dos. Je demandais seulement deux petites heures de liberté.

– Va le chercher et laisse-le-moi !

– QUOI ?

Je me lève d'un bond. Ai-je bien entendu ?

– Je vais la garder, ta terreur. D'après ce que j'ai vu, ton chien est épuisé. Il me tiendra gentiment compagnie… Les journées sont parfois longues, murmure-t-elle en déballant une pastille.

– Ma tante, tu es fantastique !

Je la serre très fort dans mes bras. Pas trop, évidemment, parce qu'elle a été malade.

J'ai hâte de téléphoner à papa. En me dépêchant, je peux être chez moi dans dix minutes. Je me précipite vers la porte et l'ouvre toute grande.

– Torchon !

Voyons! Mon chien n'est plus sur le tapis.

– Torchon, où es-tu?

Seul un profond silence vient répondre à ma question.

Chapitre 8

Au secours !

Torchon a disparu. Il n'est nulle part.

De chez tante Victorine, j'ai demandé à papa de venir m'aider à le chercher. Ensemble, nous avons ratissé le quartier. J'ai fouillé jusque dans les ruelles, derrière les poubelles. J'ai passé trente coups de fil, rendu visite aux voisins, crié son nom à en perdre la voix. Peine perdue. Mon chien est resté introuvable. Tous ont essayé de me consoler, de me rassurer. Personne n'a réussi.

Dans la maison, c'est maintenant l'heure du réveillon. L'arbre de Noël scintille. Les cadeaux ont été déballés. Papa et

maman se tiennent par la main. Je vois des étoiles dans leurs yeux. Mon frère Antoine et sa Mathilde se tiennent par le cou. Ah qu'ils ont l'air amoureux ! Moi, je suis assis devant la fenêtre du salon, la vieille pantoufle de Torchon sur les genoux. Je guette, je surveille, j'attends.

Jamais je n'aurais dû déclencher Zéro mon grelot ! J'ai commis une erreur impardonnable. Dans mon précieux manuel, j'ai lu qu'un agent secret et son assistant se doivent fidélité et confiance absolue. Ils sont liés à la vie, à la mort. J'ai lu encore qu'un agent qui trompe son assistant est un traître.

J'ai trahi Torchon et il est parti. J'ai peur pour lui. Je sais bien que, même s'il fait son brave, il est sûrement désespéré d'être séparé de moi. Une nuit de Noël, en plus. Il doit se sentir complètement seul, abandonné. Comme si, à la place du cœur, il avait un vide immense, un gouffre tout noir.

Je m'ennuie tellement fort de mon Torchon. J'en ai mal au ventre. Je regarde sa pantoufle toute déglinguée et j'ai envie de pleurer.

***

Je me réveille en hurlant. J'ai rêvé que Torchon était mort. Je suis tout courbatu. Je crois me souvenir qu'à cinq heures du matin j'ai refusé d'aller me coucher dans mon lit. De mon fauteuil, j'allume la télévision. C'est bientôt l'heure des dessins animés préférés de Torchon. En attendant, ce sont les informations.

– Les Chalifour vivent le plus heureux des Noëls, dit l'annonceur.

Le reportage présente un couple avec un sourire de gagnant de loterie. Tant mieux pour eux! Puis on voit une photo de leur fils. Franchement! Ce n'est rien qu'un copieur. Il est habillé en rouge comme moi. La tuque, le foulard! Ensuite, en-en... suite, c'est...

– Torchon ?

Je bondis sur la télécommande pour monter le volume. La maman raconte :

– Je venais de me tourner pour saluer une amie. J'ai entendu un bruit de grelots, puis j'ai vu ce chien qui arrivait de nulle part. Il a sauté à l'eau, a attrapé mon petit Victor par le col et l'a empêché de couler. La glace craquait de partout. J'avais pourtant averti mon fils de ne pas aller sur l'étang des patineurs.

L'annonceur conclut :

– Il semblerait que le courageux sauveteur ait perdu sa plaque d'identification lors de sa baignade forcée. Si vous reconnaissez ce chien, veuillez communiquer...

– PAPA ! MAMAN ! Réveillez-vous !!!

C'est le branle-bas de combat. Hors du lit, les parents ! Je ne permets même pas à papa de se raser. Deux-trois coups de téléphone, puis nous filons chez les Chalifour.

Mon cœur est plus léger qu'un flocon de neige. Je cours pour aller sonner. La porte s'ouvre et une tornade de poils s'abat sur moi.

– TORCHON !

Je tombe sur les fesses, je ris. Mon chien fou me chatouille partout avec sa grande langue baveuse. Comme c'est bon de retrouver son meilleur ami ! Les Chalifour ne veulent plus nous laisser partir. Ils me serrent contre eux, ils m'embrassent en me répétant que mon chien est le plus beau cadeau de leur vie. Je ne proteste pas. On n'a pas souvent le privilège de connaître un héros. Sans Torchon, Victor ne serait plus là. Et, sans Victor, je n'aurais pas compris le sens du mot *fidélité*. En voyant la tuque et le foulard rouges, mon chien a cru que j'allais me noyer. Il a sauté dans l'eau glacée pour moi. Même après toutes mes ruses et mes astuces... Quel fameux assistant !

Nous retournons enfin à la maison.

Torchon s'est couché sur la banquette de l'auto, la tête entre mes mains. Chez nous, une surprise nous attend. La famille entière s'est rassemblée pour accueillir le héros de Noël. C'est à qui le caressera le premier, le grattera sous le menton. La famille se bouscule. Et il y a plein de cadeaux : tante Victorine et son tapis de feutrine, Yves-Yvan et son gâteau en morceaux, Charlotte avec son os en forme d'échalote. Même tante Claudinette est là ! Elle offre à mon chien un chandail à quatre manches en fausse fourrure de tigre. Pauvre Torchon ! Il gémit quand elle le lui enfile.

Une fois de plus, mon amour de Torchon s'est sacrifié pour son maître. Car moi, j'ai échappé aux horribles cadeaux de Claudinette. Vive mon gros grelot ! Vive mon héros !

Table des matières

Mot de l'auteure

Lucie Bergeron

Pour inventer mon histoire, je me suis mise dans l'ambiance. Dès le lendemain de l'Halloween, j'ai décoré mon bureau avec des boules de Noël. J'en ai suspendu à ma lampe et à mes étagères de dictionnaires. J'ai installé un brillant jeu de lumières dans ma fenêtre et fait retentir des chants de Noël. Que d'efforts pour arriver à recréer l'atmosphère du temps des fêtes ! Ouf...

À vrai dire, je blague ! Oui, j'ai décoré très tôt mon bureau, mais j'étais bien heureuse d'avoir un bon prétexte. Moi, j'aime Noël ! La passion de Torchon, c'est un peu la mienne. Même l'été, je cours les bazars pour trouver des cloches et des grelots, des boules multicolores, des décorations étincelantes. Quel bonheur que d'écrire ce roman ! Imagine un peu... Pendant plus de deux mois, je me suis crue la veille de Noël !!!

Mot de l'illustratrice

Dominique Jolin

Je n'ai pas de chien qui me demande de lui raconter des histoires de Noël. Mais j'ai des **chats**! Ils ne me demandent rien. Ils se couchent sous le sapin, font pipi dans les papiers-cadeaux et cachent les moutons de la crèche.

Ils grignotent aussi le coin des livres et se lancent dans les rideaux.

Ils sautent même sur le comptoir et mangent les bananes avec la pelure... Ils volent mes crayons et protestent quand je veux récupérer mes affaires...

Torchon est vraiment un amour de chien quand on y pense...

DANS LA MÊME COLLECTION